D1050770

L'ACCIDENT

AGNÈS AZIZA

L'ACCIDENT

GRÜNDromans

ISBN : 978-2-7000-3142-3
Dépôt légal : 1er trimestre 2011
Imprimé en Italie

Ouvrage publié sous la direction de Xavier Décousus
Conception couverture : Olo.Éditions
Maquette intérieure : Jérôme Faucheux

Éditions Gründ
60, rue Mazarine
75006 Paris – France
Tél. 01 53 10 36 00
Fax 01 43 29 49 86
Internet : www.grund.fr

Loi n° 49-956 du 16 juillet 1949 sur les publications destinées à la jeunesse.

Maman lui disait toujours « mets ton casque ». Ce jour-là, il l'a mis mais il ne l'a pas attaché. On ne saura jamais pourquoi.

Mon grand frère Henri est mort à quinze ans trois jours et vingt heures d'un accident de scooter.

« Un banal accident », a dit le policier chargé de la circulation présent lors du choc. Un refus de priorité. Une voiture a foncé alors que le feu était rouge et a percuté de plein fouet le scooter de mon frère.

Il faisait beau ce vendredi d'avril et je m'en souviens comme si c'était hier…

I

Ce matin-là, j'avais interro d'anglais. Je m'étais réveillée plus tôt que d'habitude pour travailler encore. À 7 h 30, maman est venue vérifier que j'étais bien levée. Elle me trouva à mon bureau en train de réciter mes verbes irréguliers.

– Vanessa, m'a-t-elle dit en soupirant, combien de fois faudra-t-il que je te répète qu'il ne faut jamais réviser à la dernière minute !

– C'est juste pour être sûre, je lui ai répondu.

– Allez, lâche ton livre et viens prendre un bon petit déjeuner. Tu vas t'embrouiller l'esprit à force de relire les mêmes choses.

Je l'ai suivie jusqu'à la cuisine sans pour autant lâcher ma liste de verbes. Henri était déjà debout et avalait goulûment son bol de céréales en discutant avec papa du match de foot qu'il allait disputer le lendemain.

– L'entraîneur a mis au point une nouvelle tactique, racontait-il, mais moi, je la sens pas. Faut toujours qu'il invente des trucs qui ne servent à rien !

Je me suis assise à table, j'ai tendu la main pour prendre la boîte de céréales qui était à côté d'Henri quand celui-ci m'a dit :

– Y en a plus.

– T'aurais pu m'en laisser, j'ai grogné.

– Alors là, tu vois, m'a-t-il répondu, j'y ai pas pensé !

– Maman ! j'ai crié, Henri a encore fini les céréales !

Henri s'est mis à m'imiter en train de rouspéter. Qu'est-ce que ça a pu m'agacer !

– Maman gnan gnan, a-t-il fait, bou hou hou le méchant Henri a tout mangé...

Je m'apprêtais à lui taper dessus pour qu'il s'arrête quand papa est intervenu :

– Ça suffit, vous deux ! Henri, la prochaine fois, pense à en laisser aux autres.

– C'est toujours la même chose, j'ai râlé. Moi, j'ai interro d'anglais et si j'y vais le ventre vide, je vais tout rater et ça sera de sa faute !

– C'est bon Vanech', s'est énervé mon frère en se levant de table, t'as qu'à finir mon bol.

– Ah non alors ! J'ai rétorqué, je suis sûre que t'as craché dedans !

Henri s'est approché de moi, il m'a agrippé les épaules et m'a murmuré à l'oreille en prenant sa voix de mort-vivant :

– J'y ai même mis un poison qui va te faire mourir dans d'atroces souffrances…

Je détestais quand il prenait cette voix-là. Je ne sais pas comment il faisait pour faire siffler sa voix comme celle d'un serpent. C'était son grand jeu pour me faire peur. Le soir, il lui arrivait de se glisser dans le noir dans ma chambre et de se mettre à parler comme ça en racontant des histoires de vampires. À chaque fois, je criais de peur et lui, ça le faisait hurler de rire.

Ce matin-là, c'était vraiment la dernière des choses que j'avais envie d'entendre. Je l'ai repoussé violemment en lui disant :

– Allez, va mourir à Ouagadougou, espèce d'abruti !

Là, maman est intervenue :

– Pas de ça ! Combien de fois faudra-t-il vous le répéter ?

Maman a toujours été très superstitieuse et elle déteste par-dessus tout qu'on se « souhaite » la mort. Nous, on ne se rendait pas compte que ça pouvait vraiment arriver…

Alors avec Henri, on s'est regardé en souriant et on s'est mis à l'imiter : « combien de fois faudra-t-il vous le répéter » et on a éclaté de rire. « Combien de fois faudra-t-il que je vous le répète » est le tic de langage de maman. Elle le dit à longueur de journée aussi bien au bureau qu'à la maison. Papa a ri avec nous. Puis, après avoir fait semblant d'être en colère, maman a souri. J'ai mangé les céréales de mon frère en faisant exprès de faire la grimace et en suppliant maman d'en racheter pour le lendemain.

L'heure de partir est arrivée. Le lycée d'Henri est à l'autre bout de la ville et comme il n'y a pas de bus pour y aller, les parents lui ont acheté un scooter. J'ai embrassé rapidement papa et maman et je suis descendue avec mon frère.

J'entends encore maman crier dans les escaliers :

– Henri ! N'oublie pas de mettre ton casque.

– T'inquiète ! a-t-il répondu.

Arrivés devant son scoot', je l'ai tanné pour qu'il m'accompagne.

– Steuplaît… Sinon je vais être en retard.

Tout en mettant son casque, il a comme d'habitude refusé.

– T'as que onze ans, Vanech'.

– J'ai onze ans trois quarts, je lui ai rappelé.

– De toute façon j'ai pas de casque pour toi. À ce soir !

Henri a démarré son scooter. Il s'est amusé à le faire pétarader et il est parti en me faisant «tchao» de la main.

C'est la dernière fois que je l'ai vu vivant...

II

Au collège, j'ai retrouvé mon amie Patou. Elle était aussi stressée que moi par le contrôle d'anglais.

– J'ai l'impression d'avoir tout oublié... se lamentait-elle.

Le prof est arrivé et nous a fait entrer en cours. Comme avant chaque interro, j'ai fait trois fois le tour de ma chaise comme maman m'a appris pour me porter chance. Patou a fait de même ainsi que Romane, Salem et Vénitien. C'était drôle de nous voir tous les cinq faire le tour de nos sièges. Mais le prof n'a pas apprécié.

– Vous voulez un zéro dès maintenant ? a-t-il dit. Allez, assis.

Je me suis assise. J'étais désespérée. Je n'avais fait que deux tours.

– C'est sûr, je vais me planter, j'ai murmuré à Patou.

– Arrête tes bêtises ! m'a-t-elle répondu. Tourner autour de sa chaise avant de s'asseoir, c'est de la superstition ! Ça n'a aucun pouvoir.

– Si ma mère t'entendait, elle te démontrerait par a + b que tu te goures.

Le prof a distribué les sujets. J'avais les mains qui tremblaient. Il s'agissait d'une dizaine de phrases au présent qu'il fallait mettre au passé. J'étais contente d'avoir révisé mes verbes irréguliers le matin même ! On devait aussi répondre à des questions de compréhension. À première vue, c'était facile. Patou était déjà en train d'écrire ses réponses alors que moi, je commençais à peine ma lecture. Patou, c'est une rapide.

Soudain, je me suis sentie mal sans comprendre pourquoi. J'ai ressenti comme un coup dans la poitrine et mes mains se sont mises à trembler encore plus fort. J'avais du mal à respirer. J'ai su bien après que c'était le moment où mon frère a eu son accident.

– Qu'est-ce qu'il t'arrive ? m'a demandé Patou.

– Je ne sais pas, j'ai répondu, c'est sûrement le stress.

J'ai essayé de calmer ma respiration en me concentrant sur les exercices et, petit à petit, j'ai réussi à travailler.

Je venais de terminer quand la cloche a sonné. J'ai rendu ma copie et je suis sortie de classe pour aller en cours de français avec

Patou qui se vantait d'avoir « hyper bien réussi car c'était hyper facile ».

On venait juste de s'asseoir en cours de français quand un surveillant est venu dans la classe et a parlé discrètement à la prof. Instantanément, elle a blêmi et d'une voix mal assurée m'a appelée :

– Vanessa Guissin, M. Touboul voudrait vous voir.

Je me suis levée en me demandant ce que le CPE me voulait et je suis allée rejoindre le surveillant.

– Je crois qu'il vaut mieux que tu prennes tes affaires, m'a-t-il dit.

Là, j'ai eu un mauvais pressentiment. Si je devais prendre mes affaires, c'est que je n'allais pas revenir en cours. Si je ne revenais pas en cours, c'est qu'il se passait quelque chose de grave.

Dans la classe, j'entendais des murmures : « Elle est renvoyée ? », « Qu'est-ce qu'elle a fait ? », « C'est dégueulasse, faut se plaindre ! » Ça, c'était forcément Christophe qui l'avait dit. Il est toujours prêt à organiser des mouvements de protestation et à faire circuler des pétitions à longueur de temps. Sur le moment, ça m'a fait sourire qu'il cherche immédiatement à prendre ma défense. J'ai lancé un dernier regard à mon amie Patou et j'ai lu dans ses yeux qu'elle me disait : « Te fais pas de bile, c'est pas grave ».

– Je suis renvoyée ? j'ai demandé au surveillant tandis qu'on traversait la cour.

– Il ne s'agit pas de toi, m'a-t-il répondu avec un triste sourire.

Là, je me suis dit que c'était très très très très très grave et, sans savoir pourquoi, je me suis mise à pleurer.

III

Il m'a bien fallu cinq minutes pour me calmer. Le surveillant était très ennuyé et ne savait pas quoi faire. Il a posé sa main sur mon épaule et m'a conduite vers le bureau de M. Touboul. Il a frappé à la porte. Le CPE a dit « entrez » et le surveillant a ouvert.

J'ai alors aperçu mon père assis sur une chaise la tête baissée, les épaules voûtées. Dès qu'il m'a vue, il s'est redressé et s'est levé d'un coup. À grands pas, il est venu vers moi et m'a serré très fort contre lui.

Le surveillant et M. Touboul ne savaient plus où se mettre et, dans un raclement de gorge, le CPE a dit :

– On vous laisse le bureau.

Moi, je me suis remise à pleurer. J'avais tellement peur ! Je ne comprenais pas ce que venait faire papa au collège à dix heures moins le quart du matin. Et puis j'ai pensé qu'il était arrivé malheur à quelqu'un que j'aimais beaucoup. Papa ne disait rien, il ne faisait que me serrer contre lui essayant de calmer sa respiration et de retenir ses sanglots. Alors je me suis dit : c'est Papou, c'est sûr. Le papa de mon papa est mort et il est venu me l'annoncer.

D'une petite voix, je lui ai demandé :

– Il est arrivé malheur à Papou ?

Papa a alors arrêté de me serrer contre lui, il s'est agenouillé pour que ses yeux soient à la hauteur des miens. Je voyais bien qu'il était très triste mais qu'il essayait de sourire quand même.

– Non, ma puce, Papou va bien. C'est ton frère…

Il a essayé de continuer à parler mais les mots n'arrivaient pas à sortir de sa bouche. Moi, je ne comprenais pas du tout ce que mon frère venait faire là-dedans. J'ai souri bêtement.

– Quoi mon frère ? j'ai dit le sourire encore aux lèvres.

Papa m'a longuement regardée. Il a pris sa respiration et m'a dit d'une traite :

– Il est à l'hôpital. Il a eu un grave accident avec son scooter.

Puis papa a baissé la tête pour que je ne voie pas les larmes couler de ses yeux.

J'avais bien entendu ce qu'il m'avait dit mais ça n'avait pas de sens. Je comprenais tous les mots séparément mais mis ensemble, ils ne voulaient rien dire. Le plus bizarre, c'est qu'il m'était impossible de me rappeler ce qu'il venait de m'annoncer.

– Tu peux répéter s'il te plaît, je lui ai demandé.

Il m'a à nouveau serrée contre lui.

– Oh ! ma puce... m'a-t-il dit, ton frère est à l'hôpital.

Dans ma tête, je me répétais : «Mon frère est à l'hôpital...», qu'est-ce que ça veut donc dire ? Mon frère, c'est Henri. L'hôpital est un lieu où l'on soigne les malades... mais quel est le rapport entre les deux ?

J'étais hébétée. Je me sentais bête mais bête comme si on avait débranché une partie de mon cerveau. Rien à faire pour le reconnecter.

M. Touboul est à nouveau entré dans son bureau. Je l'ai regardé en me demandant ce qu'il faisait dans ma chambre. Je confondais tout, j'étais déboussolée. Il m'a mis la main sur l'épaule en me disant :

– Ne t'inquiète pas pour tes cours, tes petits camarades s'en chargeront.

Je l'ai regardé avec des yeux ronds.

– Quels cours ? j'ai demandé.

– Ça va aller, Vanessa, m'a dit papa en m'entraînant vers la porte, tu vas m'attendre juste un moment.

Papa est allé discuter avec M. Touboul. J'ai juste entendu le CPE dire que je devais être en état de choc, ce qui expliquait ma confusion. Là non plus, ça n'avait pas de sens. Puis Papa m'a rejointe et nous sommes partis en direction de l'hôpital.

IV

Je n'ai pas ouvert la bouche dans le taxi qui nous emmenait. Papa me serrait la main. Moi, je regardais défiler le paysage par la fenêtre. Les maisons, les arbres qui commençaient à avoir des feuilles, le soleil qui se reflétait dans les vitrines des magasins, les gens marchant dans la rue. C'était vraiment une belle journée... Soudain, le chauffeur de taxi a freiné brusquement.

– Ah, j'vous jure, ces deux-roues ! a-t-il pesté, vous avez vu comment il conduisait celui-là ? C'est sûr, un d'ces jours, il va se retrouver à l'hosto si c'est pas au cimetière !

Et là, j'ai enfin compris ce que mon père m'avait dit dans le bureau du conseiller d'éducation...

– Henri ! j'ai crié tout en pleurant. Non, non ! pas Henri !

Papa m'a serré contre lui tout en me répétant :

– Ça va aller ma puce, sois forte.

Et moi, je criais :

– Henri... je veux voir mon grand frère !

Dans le rétroviseur, le chauffeur de taxi nous regardait en se demandant ce qui avait déclenché cette réaction chez moi.

– Qu'est-ce que j'ai dit ? a-t-il demandé à mon père.

– Son frère vient d'avoir un accident de scooter, a expliqué papa, alors vous comprenez…

Le chauffeur ne savait plus où se mettre tellement il était gêné.

– Oh ! la gaffe ! répétait-il. Oh ! je suis vraiment désolé. Oh ! lala ! qu'est-ce que je m'en veux !

Je continuais de pleurer en répétant : « Henri, Henri ». Je n'avais que son prénom à la bouche ne cherchant même pas à essuyer les larmes qui commençaient à me couler jusque dans le cou. Papa me caressait doucement les cheveux.

Arrivé devant l'hôpital, papa a demandé au chauffeur combien il lui devait.

– Pensez donc ! a-t-il répondu, vous ne me devez rien du tout. C'est moi qui m'excuse encore.

On est descendus du taxi et, par la vitre, le chauffeur a ajouté :

– Je prierai pour lui.

Papa l'a remercié puis il m'a prise dans ses bras et nous sommes entrés dans le bâtiment.

V

Je ne me souviens plus très bien de ce qui s'est passé juste après. Je me souviens que papa me portait dans ses bras comme quand j'étais petite. Ça ne m'était plus arrivé depuis au moins deux étés mais là, il fallait qu'il me porte. J'étais redevenue une toute petite fille.

J'avais la tête contre sa poitrine, les bras agrippés autour de son cou ne voulant pas voir ce qui m'entourait. Je ne voyais rien mais je sentais.

Une odeur bien particulière, une odeur à la fois de propre, de désinfectant mais aussi d'autre chose que je n'arrivais pas à définir. Maintenant, je dirais que ça sentait la mort, la maladie et la souffrance mais sur le moment, je ne l'ai pas compris.

Papa a discuté avec une dame à l'accueil qui lui a indiqué une salle et un étage puis elle a ajouté tandis que papa se dirigeait vers l'ascenseur :

– Monsieur, les enfants ne sont pas admis.

– C'est son frère, bordel ! s'est énervé papa et on est quand même entrés dans l'ascenseur sans écouter ce que disait la dame.

C'était la première fois que j'entendais mon père s'énerver si fort contre une inconnue et dire un si gros mot.

Dans l'ascenseur, papa a voulu me faire descendre. Je ne me suis pas laissée faire.

– S'il te plaît, Vanessa, m'a-t-il dit, tu m'arraches le cou !

Je me suis encore plus collée à lui et j'ai serré encore plus fort mes jambes autour de sa taille.

– D'accord, mon poussin. Je suis là, ne t'inquiète pas.

La porte de l'ascenseur s'est ouverte et nous avons pris un couloir sur la gauche.

Papa s'est alors arrêté et d'autres bras nous ont entourés. C'étaient ceux de maman. Elle pleurait sans pouvoir s'arrêter. J'ai décroché mes bras du cou de papa pour me pendre à celui de maman en me serrant très fort contre elle et en mêlant mes pleurs aux siens.

Je ne sais pas combien de temps on est restés comme ça, sans parler, sans bouger, tous les trois perdus dans notre peur et notre douleur. Puis j'ai relevé la tête et j'ai demandé à voir mon frère.

Maman m'a reposée par terre.

– On ne peut pas le voir, mon cœur. Les docteurs sont en train de l'opérer.

– Qu'est-ce qu'il s'est passé ? j'ai demandé.

– Au croisement Saint-Denis, m'a expliqué maman, une voiture a brûlé le feu rouge et a percuté Henri qui venait dans l'autre sens en scooter. En tombant, il s'est cogné la tête…

– Ah ! ben, c'est pas grave alors, j'ai répondu, rassurée, son casque l'a protégé…

Maman m'a regardée, elle a essayé de sourire pour me donner du courage.

– Il ne l'avait pas attaché, a-t-elle commencé…

Elle n'a pas pu finir sa phrase. Prise d'un sanglot, elle s'est éloignée en faisant un geste à papa pour qu'il continue à sa place.

C'est plus fort que moi, j'ai toujours pris la défense de mon grand frère face aux « attaques » des parents. Et là, ça n'a pas manqué, j'ai dit :

– Je te jure qu'il l'avait attaché, papa !

Papa a souri tristement :

– Je te crois, ma puce, mais pour une raison inconnue, ton frère l'a détaché et avec le choc, le casque s'est envolé.

Là, j'ai compris que c'était très grave. J'ai eu envie de pleurer encore plus fort mais j'ai réussi à me retenir.

Je voulais poser une question, une seule question mais elle restait coincée au fond de ma gorge. J'ai alors pris une grande respiration puis j'ai articulé tant bien que mal :

– Est-ce qu'il va mour…

Je n'ai pas pu finir mais j'ai vu que papa avait compris. Il s'est agenouillé, m'a regardée droit dans les yeux et m'a dit :

– Tu es une grande fille Vanessa, n'est-ce pas ?

J'ai fait oui de la tête.

– Alors je ne vais pas te mentir parce que je sais que tu es forte et courageuse.

J'ai senti que mes jambes se mettaient à trembler. J'avais le cœur qui battait la chamade. Je ne voulais qu'une seule chose : qu'il me mente, qu'il me dise qu'Henri allait très bien, que c'était juste une bosse et rien de plus…

– Les médecins ne savent pas s'il va s'en sortir, a continué papa. Tout dépend de comment il résiste à l'opération.

Mes grands-parents sont alors arrivés. Tandis que Papou a serré très fort maman qui n'arrivait plus à s'arrêter de pleurer, Mamou m'a prise par la main tout en serrant le bras de papa. Puis maman a réussi à se calmer et je suis allée me réfugier dans les bras de mon papou. Quand il est ému, mon grand-père bougonne et là, ça n'a pas raté.

– Hélène, a-t-il dit à sa femme, ramène la p'tite à la maison. C'est pas la place d'une gamine, ici !

Je me suis dégagée brusquement, je l'ai regardé droit dans les yeux et je lui ai dit comme papa à la dame de l'accueil :

– C'est mon frère, bordel !

Mon grand-père m'a regardé avec des yeux ronds, puis il a levé la main comme pour me mettre une gifle mais Mamou l'a arrêté dans son mouvement.

– Elle a raison, André, a-t-elle dit. Si elle veut rester, c'est son droit.

Mon grand-père allait dire quelque chose quand la porte à battant de la salle d'opération s'est ouverte. D'un seul mouvement, on s'est tous retournés.

VI

– Alors ? a demandé maman au chirurgien qui sortait.

– On a réussi à stopper l'hémorragie interne, a-t-il expliqué, nous avons également réduit l'œdème au cerveau mais certaines fonctions vitales ont été atteintes…

– En français, ça veut dire quoi ? a demandé papa.

Le chirurgien s'est raclé la gorge. Il était très gêné.

– S'il sort du coma, il se peut qu'il se retrouve en état végétatif partiel. Puis il a ajouté : on ne sait pas combien de temps son cerveau est resté sans être irrigué.

Il y a eu un grand silence qui ne sentait pas bon du tout. Moi, je n'avais pas compris ce que voulait dire un « état végétatif partiel ». J'ai alors tiré sur sa blouse pour attirer son attention.

– C'est quoi un état végétatif partiel ?

Le médecin m'a regardée avec un triste sourire.

– C'est ton frère ?

J'ai fait oui de la tête.

– S'il se réveille, il aura besoin de toi car il se peut qu'il ne puisse plus ni marcher ni tenir un livre ni même manger seul.

– Comment va-t-il faire ? je me suis exclamée. Il a un match de foot super important demain !

Sur le moment, la seule chose qui m'importait était le match de foot du lendemain. Dans ma tête, je me disais que si Henri ne pouvait pas participer à ce match, il allait faire une crise. Il y tenait tellement ! Pas une seconde, je me suis dit qu'en étant à l'hôpital, Henri ne pourrait en aucun cas jouer le lendemain. Et puis surtout, je refusais d'entendre ce que venait de m'expliquer le médecin. L'avenir s'arrêtait au lendemain et le lendemain, c'était match. Le reste n'avait aucun sens…

– Est-ce qu'on peut le voir ? a demandé maman.

– On viendra vous chercher d'ici une heure, a répondu le chirurgien. Mais je vous préviens, vous risquez d'avoir un choc.

En disant cela, il me désignait du regard.

– J'veux le voir ! j'ai crié.

Papa m'a prise par la main et m'a dit :

– Demain, quand il ira mieux, tu le verras. Pour l'instant, tu vas rentrer avec tes grands-parents.

J'ai pleuré, j'ai trépigné mais ni papa ni maman n'ont cédé. Demain, pas aujourd'hui.

Malgré moi, j'ai suivi mes grands-parents et nous avons quitté l'hôpital.

VII

On a repris un taxi. Pendant le trajet, Mamou essayait de me distraire en me posant des questions sur le collège mais je n'avais pas envie de parler et je répondais par monosyllabes.

Arrivés à la maison, je suis allée directement dans la chambre de mon frère et je me suis jetée sur son lit en pleurant. J'ai serré fort son oreiller qui sentait encore son odeur. Je m'en suis imprégnée un maximum en repensant à ce petit déjeuner. Je revoyais Henri prendre sa voix de mort-vivant, je nous entendais rire ensemble...

À ce moment-là, ma grand-mère est entrée dans la chambre. Elle a froncé les sourcils et a commencé à ramasser les affaires qui traînaient un peu partout.

– Quel capharnaüm ! C'est bien une chambre de garçon, ça ! elle a maugréé en se baissant pour ramasser un pull.

– Non ! j'ai dit en lui prenant le pull des mains et en le rejetant par terre. Ne touche à rien. Tout doit rester comme ça jusqu'au retour d'Henri.

– Ça ne se fait pas de laisser une chambre dans un tel désordre ! s'est écriée ma grand-mère.

– Peut-être, j'ai rétorqué, mais c'est comme ça qu'Henri aime sa chambre.

Mamou a soupiré mais n'a pas insisté.

– Allez, mon lapin, m'a-t-elle dit en me prenant la main, viens déjeuner.

Je n'avais pas faim du tout mais je me disais que c'était un bon moyen d'occuper ma grand-mère et qu'elle oublie la chambre de mon frère.

Quand nous sommes entrés dans la cuisine, Papou était en train de mettre le couvert. Ma grand-mère s'est approchée et lui a passé affectueusement la main dans le dos. Mon grand-père a souri. Un sourire triste qui essayait de cacher sa peine.

À cet instant, je les ai trouvés vieux. Ils avaient l'air fatigué, peut-être plus courbés que d'habitude, les gestes moins aisés. Et moi aussi, je me sentais vieille. Vieille d'un siècle comme si cette affreuse matinée avait duré une éternité.

Je me suis assise à table à la même place qu'au petit déjeuner et d'un coup tout m'est revenu : la discussion du matin et surtout les menaces de mort que j'avais proférées contre mon frère.

J'ai regardé mon assiette les yeux vides et j'ai pleuré. Ma grand-mère est venue me prendre dans ses bras.

– Allons mon lapin, m'a-t-elle dit en me berçant, il faut que tu sois courageuse.

– Tout est de ma faute, j'ai réussi à dire entre deux sanglots.

– Qu'est-ce que tu racontes ? est intervenu mon grand-père. Tu n'y es pour rien !

– Si ! j'ai crié en me levant. Ce matin, je lui ai dit qu'il allait mourir et à cause de moi, il est à l'hôpital.

Et je suis partie m'enfermer à double tour dans ma chambre. Je me suis terrée sous mon bureau, les bras autour des genoux, incapable de faire autre chose que pleurer.

Papou et Mamou ont essayé d'entrer.

– Ouvre mon lapin, a dit Mamou.

– Non ! Laissez-moi tranquille, j'ai répondu.

Je les ai entendus chuchoter puis mon grand-père a dit :

– Écoute ma caille, tu n'es pas responsable de l'accident de ton frère. C'est une voiture qui l'a renversé. Ça n'a rien à voir avec toi.

– Et puis c'était ton jeu avec ton frère, a ajouté ma grand-mère à travers la porte. Vous passiez votre temps à vous dire : « Va mourir ».

C'est vrai qu'on se le disait tout le temps : va mourir à Tombouctou, va mourir à Nice, va mourir à Zanzibar… C'était à celui qui trouverait le lieu le plus exotique.

On a alors sonné. Mon grand-père est allé ouvrir tandis que Mamou essayait de me convaincre de la laisser entrer.

– C'est ton amie Patricia qui est là, a dit Papou.

D'un bond, je suis allée ouvrir la porte de ma chambre et je me suis jetée dans les bras de ma Patou.

– Patou, c'est horrible ! Henri est à l'hôpital !

– La prof de français nous l'a dit après ton départ. J'ai séché la cantoche pour venir te voir.

Ma grand-mère en a profité pour nous entraîner dans la cuisine et nous faire manger. Accompagnée de mon amie, j'ai accepté. On allait commencer à manger quand le téléphone a sonné dans le salon. Je me suis précipitée pour répondre.

Arrivée près du combiné, je n'ai pas pu décrocher. C'était comme si quelque chose m'en empêchait. Mon grand-père a répondu à ma place.

– Allô ? fit-il.

Ma grand-mère et Patou sont venues nous rejoindre dans le salon. Patou me tenait la main. J'avais tellement peur… Et pourtant, tout au fond de moi, je savais ce qu'on allait m'annoncer…

VIII

J'ai vu les épaules de mon grand-père s'affaisser d'un coup, son dos se voûter et sa voix, si sûre d'habitude, a déraillé. Il a juste dit :

– On vous attend.

Puis il a raccroché.

Il s'est tourné vers nous et des larmes coulaient sur ses joues. Je n'avais jamais vu mon grand-père pleurer.

– Son cœur a lâché, il ne s'est pas réveillé.

J'ai senti le sol se dérober sous mes pieds et je suis tombée prise par un sanglot qui venait de très loin. Roulée en boule sur le sol, je ne pouvais plus m'arrêter de pleurer et de crier le prénom de mon frère. Ma grand-mère s'est précipitée vers moi. Elle m'encourageait à crier tout ce que j'avais en moi. J'avais mal mais j'étais surtout en colère. Une colère énorme qui me donnait envie de tout casser.

– Vas-y mon poussin, crie, hurle, laisse tout sortir.

Et j'ai tout laissé sortir.

Ma grand-mère me tenait fort contre elle et moi, je criais, je me débattais, je luttais. Je luttais sans comprendre pourquoi et contre quoi j'étais en guerre mais c'était un combat sans merci. Plus j'essayais de me dégager des bras de ma grand-mère, plus elle me serrait contre elle de toutes ses forces. C'était épuisant.

Je ne sais pas combien de temps ça a duré. À un moment, j'ai senti que le combat était terminé. Mamou l'a senti aussi et elle a relâché son étreinte.

Je me suis alors sentie envahie par un sentiment de perte effroyable. Quelque chose qui m'a broyé le cœur et dont j'ai cru ne jamais pouvoir me remettre. Je me suis alors serrée très fort contre ma grand-mère pour empêcher cette affreuse chose de m'envahir et de trouver le moyen d'entrer en moi.

– Laisse la place à ton chagrin, Vanessa, il a le droit d'exister, m'a dit Mamou comme si elle lisait dans mes pensées.

J'ai alors laissé la place à mon chagrin, bercée dans les bras de ma grand-mère.

Quand les parents sont arrivés, j'étais calme et on a pu pleurer tous ensemble. Patou était partie sans que je m'en rende compte.

En fait, j'ai compris bien plus tard pourquoi ma grand-mère m'avait encouragée à hurler et à exprimer toute ma colère. Il fallait que ça sorte tout de suite parce que si je l'avais gardé au fond de moi, ça m'aurait rendue malade. Et puis, il valait mieux que je craque avant l'arrivée de mes parents.

Le souvenir du reste de la journée est comme dans un épais brouillard. Je me souviens que maman a passé beaucoup de temps allongée dans sa chambre où je l'ai rejointe à un moment. Papa est resté longtemps au téléphone. D'ailleurs, les portables de toute la famille n'arrêtaient pas de sonner. Ça devenait pénible à la longue ces sonneries qui retentissaient toutes les cinq minutes.

Puis en fin d'après-midi, on a eu des visites. Mon oncle, ma tante, mes cousins, la voisine, les meilleurs amis d'Henri... Là non plus ça n'arrêtait pas. Ma grand-mère s'activait dans la cuisine à préparer du thé. Elle envoyait mon grand-père acheter des gâteaux chez le boulanger, mais il n'y en avait jamais assez, alors il repartait sans cesse en chercher. Je crois qu'en fait Papou avait besoin de prendre l'air et d'être seul avec son chagrin. Moi, je suis restée une bonne partie du temps dans la chambre de mon frère, serrant le pull qui traînait par terre et regardant les photos qui envahissaient un de ses murs.

Quand je suis retournée dans le salon, j'ai vu que ma grand-mère avait couvert tous les miroirs de la maison avec des draps.

– Pourquoi tu as fait ça, Mamou ? je lui ai demandé.

– Parce que le deuil commence, m'a-t-elle expliqué, et c'est la tradition dans la religion juive.

– Mais on n'est pas pratiquants ! j'ai répliqué.

– On n'a pas besoin d'être pratiquant pour respecter les traditions.

IX

Cette nuit-là, j'ai mis du temps à m'endormir. Je pensais à Henri, à tout ce que l'on avait vécu ensemble. Nos engueulades pour des broutilles, nos crises de fou rire, nos dernières vacances au ski... Tout me revenait. Je l'entendais encore me faire ses grandes théories sur le foot...

Comment allais-je faire pour vivre sans lui ?

Et puis je m'en voulais de ne pas avoir plus insisté pour le voir à l'hôpital. Je n'aurais pas dû céder. J'aurais dû rester contre vents et marées. J'aurais ainsi pu l'embrasser une dernière fois, le regarder dormir...

J'ai souvent dit : « Je te déteste ! » à mon frère mais jamais : « Je t'aime ». Si j'avais su, j'aurais remplacé tous mes « je te déteste » par des « je t'aime ».

Quand enfin je me suis endormie, j'ai rêvé d'Henri.

J'étais seule sur une plage. Au loin, je voyais mon frère mettre un bateau à l'eau et s'apprêter à monter dedans. Je courais vers lui en l'appelant :

– Henri, Henri ! Attends-moi, je veux venir avec toi !

Il se tournait alors vers moi et avec un sourire éclatant me disait :

–T'as que onze ans, Vanech' !

– J'ai onze ans trois quarts, je lui ai rappelé.

Il me souriait toujours et ajoutait en me faisant une pichenette sur la tête :

– Et puis il faut bien que l'un de nous deux reste pour s'occuper des parents.

Je lui sautais au cou.

– Je t'aime, Henri, je lui disais, je t'aime tellement !

– Moi aussi petite sœur, me répondait-il. T'inquiète, je vais être heureux là-bas.

Il montait alors dans son bateau.

– Et toi, tu vas me promettre de tout faire pour l'être ici ! me disait-il en me faisant un clin d'œil.

Le vent l'emportait alors au large. De la main, nous nous disions au revoir. Je souriais heureuse pour lui et soulagée.

En me réveillant le lendemain matin, j'étais sûre que ce n'était pas un rêve comme les autres. Henri était revenu pour me dire au revoir.

Je n'ai jamais parlé de ce « rêve ». J'ai eu peur que l'on se moque de moi ou que l'on me prenne pour une folle. Pourtant la présence de mon frère à mes côtés cette nuit-là a été d'un très grand réconfort. Et depuis, chaque fois que je ne me sens pas bien ou que la vie est difficile, je me rappelle la promesse que j'ai faite à mon frère : tout faire pour être heureuse ici.

X

L'enterrement a eu lieu quelques jours plus tard. Ce fut l'un des pires moments de ma vie et en même temps le plus fort et le plus beau. Nous étions tous là, la famille, les amis de mon frère, les miens, ceux des parents... Les joueurs de l'équipe de foot avaient revêtu leur maillot et tenaient la coupe qu'ils avaient gagnée le samedi en l'honneur d'Henri.

Quand le cercueil a été mis en terre, mon cœur s'est arrêté de battre. Je tenais fort la main de maman pour lui donner du courage. Je sentais bien qu'elle risquait de s'effondrer.

On s'est tous serrés autour de la tombe. Tout le monde se touchait. On avait besoin d'être le plus proche possible les uns des autres.

Puis Papa a pris la parole pour dire combien son fils allait lui manquer. Il a commencé à rappeler quelques moments marquants de sa vie mais il n'a pas pu continuer. Sa voix s'est cassée dans un sanglot.

Moi, j'avais photocopié les paroles de la chanson préférée d'Henri. Aidée de Patou, on les a distribuées à tout le monde. Tous ensemble, nous avons chanté. D'abord doucement, puis de plus en plus fort. Nous voulions être sûrs que là où il était, Henri nous entendrait.

C'était tellement beau.

Après le cimetière, on s'est tous retrouvés à la maison. Ma grand-mère, ma mère et ma tante avaient préparé un goûter comme le veut la tradition. On était dans le salon et personne n'osait vraiment parler. On chuchotait.

Et puis Alexis, Arnaud et Laurent, les meilleurs amis de mon frère, se sont mis à rire. Ils se rappelaient toutes les conneries qu'ils avaient faites avec Henri et qu'aucun parent ne connaissait ! Leur rire a été communicatif et on s'est tous retrouvés à pleurer de rire en écoutant Laurent raconter comment, un jour, Henri avait perdu son short en courant à l'entraînement de foot poursuivi par un chien qui voulait jouer avec lui.

– Il sera toujours dans notre cœur, a dit Alexis.

– Pour la vie, a ajouté Arnaud.

Et on a tous répété « pour la vie » en levant nos verres.

J'ai eu seize à mon interro d'anglais mais ça n'avait plus aucune importance. D'ailleurs, plus rien n'a compté pendant longtemps…

Aujourd'hui, j'ai quinze ans trois jours et vingt heures comme mon frère le jour de l'accident. Je me souviens, je ne l'oublie pas. Il est dans mon cœur. Pour la vie.

Remerciements

Un grand merci à Béatrice Guthart et au magazine *Les p'tites Sorcières* pour avoir publié la première mouture de ce roman.

Ce livre n'aurait pas vu le jour sans Nathalie Kuperman et l'insistance bienveillante de mon éditeur Xavier Décousus. Merci.

Je remercie également celles et ceux qui me soutiennent quand les doutes concernant l'écriture m'assaillent et plus particulièrement Alexis, et Delphine. Je me rends bien compte que je suis insupportable dans ces moments-là !

Une pensée chaleureuse et souriante pour mes amis qui m'entourent. Certains depuis bien longtemps, d'autres depuis peu. Vous connaître est une joie.

Et bien sûr, une immense pensée pour Henri P. mort d'un accident de moto à 20 ans et pour sa famille.

Ce livre est ma manière de te dire que je ne t'ai pas oublié.

Paris, octobre 2010